KikekOa et ORNicaR

On a fait une bêtise !

...pour les enfants qui apprennent à lire

Le texte à lire dans les bulles est conçu pour l'apprenti lecteur. Il respecte les apprentissages du programme de CP :

 le niveau TRES FACILE correspond
aux acquis de septembre à décembre,

 le niveau FACILE correspond
aux acquis de janvier à juin.

Cette histoire a été testée à deux voix par Francine Euli, enseignante, et des enfants de CP.

Cet ouvrage est un niveau Facile.

© 2012 Éditions NATHAN, SEJER, 25 avenue Pierre de Coubertin, 75013 Paris
Loi n° 49-956 du 16 juillet 1949 sur les publications destinées à la jeunesse,
modifiée par la loi n° 2011-525 du 17 mai 2011.
ISBN : 978-2-09-254076-3
N° éditeur : 10202105 - Dépôt légal : août 2012
Imprimé en décembre 2013 par Pollina, Luçon, 85400 - L66643A

On a fait une bêtise !

TEXTE DE ARNAUD ALMÉRAS
ILLUSTRÉ PAR ZELDA ZONK

Aujourd'hui, Ornicar le petit ornithorynque attend son ami Kikekoa. Ça sonne, enfin! C'est Kikekoa!

Bonjour, Ornicar!

– Tu as regardé le match de rugby,
hier ? demande Kikekoa. Je l'ai vu
avec mon papa, c'était trop bien !

Kikekoa court avec le coussin en guise de ballon, et Ornicar se jette sur lui pour l'arrêter.

Oui ! Et là, hop !

Ils roulent et se cognent dans le buffet du salon. *Blinggg!*

Surpris par ce bruit, les deux amis
relèvent la tête…

– Oh non, gémit Ornicar, les cerises
en verre de Maman! C'est un souvenir
de Venise et elle les adore!

On va
les réparer!

Ornicar file dans sa chambre chercher du scotch. Mais les deux amis n'arrivent pas à les recoller. Kikekoa, tout embêté, repose les petits morceaux sur le buffet.

On a fait
une grosse bêtise !

C'est alors que la maman d'Ornicar arrive dans le salon.

Que se passe-t-il, ici ?

Kikekoa sent les larmes lui monter
aux yeux. Ornicar jette un coup d'œil
à son ami :
– Kikekoa est très, très triste.
Parce que, heu…

Ornicar se met à inventer :
– En fait, il a pris un bain avec
son poisson rouge, mais il s'est sauvé
quand Kikekoa a vidé l'eau.

En plus, son petit frère Kidodou
s'est cassé les deux bras...

– en trottinette! précise Kikekoa.

Oui, oui,
c'est vrai!

– Et c'est pas tout! poursuit Ornicar.
Sa maman a un rhume, une angine,
une otite, la rougeole, la varicelle
et les oreillons!

Tout ça en même temps?

La maman d'Ornicar, soudain méfiante, fronce les sourcils. Le mensonge est un peu gros, et Kikekoa rougit:

– Oui, le docteur a dit que c'était très rare. Mais elle prend du sirop et ça va déjà mieux, ouf!

La maman d'Ornicar se tourne vers Kikekoa.

– Tu as dû te tromper dans le nom des maladies… Mais tout ça fait beaucoup de soucis à la fois ! Amuse-toi avec Ornicar, ça te changera les idées… Je vais aller préparer un énorme goûter !

Merci, madame !

– Ta maman est tellement gentille !
On pourrait lui offrir un cadeau…
propose Kikekoa.
– Si on lui faisait un spectacle
de chevaliers ? réplique Ornicar.

C'est une très
bonne idée !

Et les deux amis filent se déguiser.

Cinq minutes plus tard, les frères
et la sœur d'Ornicar apparaissent
dans le salon, la sieste est terminée...

– Silence ! grogne Ornicar. On va jouer
un beau spectacle pour Maman...
et aussi pour vous.

Attention,
ça commence !

Kikekoa s'agenouille devant Ornicar :
– Kikekoa le Juste, tu seras très gentil
avec tout le monde…
sauf avec les méchants ?

Oui,
c'est juré !

Puis Ornicar s'agenouille à son tour :
— Ornicar le Courageux, tu seras
vraiment très courageux et, en plus,
tu diras toujours la vérité ?

Oui,
c'est juré !

Soudain, le spectacle est interrompu
par l'arrivée des parents de Kikekoa.
– Mais… tout le monde a l'air en pleine
forme ! s'écrie la maman d'Ornicar.

Oui, oui,
tout va bien !

Kikekoa remercie et file, sans demander son reste.

— Salut, Ornicar !

La maman d'Ornicar referme la porte.

Que m'as-tu raconté ?

Le chevalier Ornicar, tout rouge,
regarde fixement les cerises…

Ornicar baisse la tête :

– C'était un accident ! Comme j'avais peur que tu nous grondes très fort, j'ai inventé un peu... beaucoup.

Sa maman s'assied sur le trône,
les bras croisés:
– Chevalier, vous m'avez raconté
d'énormes carabistouilles!

Ornicar redresse la tête
et lève son épée bien haut.

Ma reine,
je ne le ferai plus...
Promis!

À la rentrée de septembre, les enfants de CP entrent doucement en lecture. Afin de les accompagner dans cette découverte et d'encourager leur plaisir de lire, Nathan Jeunesse propose la collection **Premières lectures**.

Chaque histoire est écrite avec des **bulles**, très simples, et des **textes**, plus complexes, dont les sons et les mots restent toujours adaptés aux compétences des élèves dès le CP.

Les ouvrages de la collection sont tous **testés** par des enseignants et proposent deux niveaux de difficulté : **Très Facile** et **Facile**.

Cette collection est idéale pour la mise en place d'une **pédagogie différenciée**, mais aussi pour une **lecture à deux voix**. Elle permet en effet de mêler la voix d'un «lecteur complice», que la lecture des textes rend narrateur, à celle d'un enfant qui se glisse, en lisant les bulles, dans la peau du personnage.

Un moment privilégié à partager en classe ou en famille !

premiers romans

Et après les **Premières lectures**, découvrez vite les **Premiers romans !**

Nathan © 2012, illustrations de M.Allag, Z. Zonk

Nathan présente les applications Iphone et Ipad tirées de la collection *premières* **lectures**.

L'utilisation de l'Iphone ou de la tablette permettra au jeune lecteur de s'approprier différemment les histoires, de manière ludique.

Grâce à l'interactivité et au son, il peut s'entraîner à lire, soit en écoutant l'histoire, soit en la lisant à son tour et à son rythme.

Avec les applications *premières* **lectures**, votre enfant aura encore plus envie de lire... des livres !

Toutes les applications *premières* **lectures** sont disponibles sur l'App Store :